4

Math in Focus®

Singapore Math®
by Marshall Cavendish

School-to-Home Connections

Contributor
Yan Kow Cheong

U.S. Distributor

Published by Marshall Cavendish Education
An imprint of Marshall Cavendish Education Private Limited
Times Centre, 1 New Industrial Road, Singapore 536196
Customer Service Hotline: (65) 6213 9444
U.S. Office Tel: (1-914) 332 8888 Fax: (1-914) 332 8882
E-mail: tmesales@mceducation.com
Website: www.mceducation.com

Distributed by
Houghton Mifflin Harcourt
222 Berkeley Street
Boston, MA 02116
Tel: 617-351-5000
Website: www.hmheducation.com/mathinfocus

First published 2015

Math in Focus® School-to-Home Connections 4
ISBN 978-0-544-19263-8

Printed in Singapore

1 2 3 4 5 6 7 8 1401 20 19 18 17 16 15
4500463695 A B C D E

Contents

Preface

This *School-to-Home Connections* book is created to facilitate communication between teacher and families and to help adults at home support their child's experiences in math at school.

Math in Focus® School-to-Home Connections consists of one newsletter per chapter as well as a Welcome letter and an End-of-Year letter, each in both English and Spanish. The newsletters include:

- vocabulary terms with explanations
- a brief outline of the math content for the chapter
- a simple and engaging activity for an adult at home to do with the child to explore or practice a key concept or skill

Students whose parents are involved and supportive tend to be more engaged and successful in the classroom. Take advantage of this opportunity to connect with your students' families. Send the newsletters home near the beginning of each chapter so that families can discuss concepts with their child as they are being presented in school.

Dear Family,

Welcome to *Math in Focus®: Singapore Math® by Marshall Cavendish*, the world-class math curriculum from Singapore adapted for U.S. classrooms based on updated math standards.

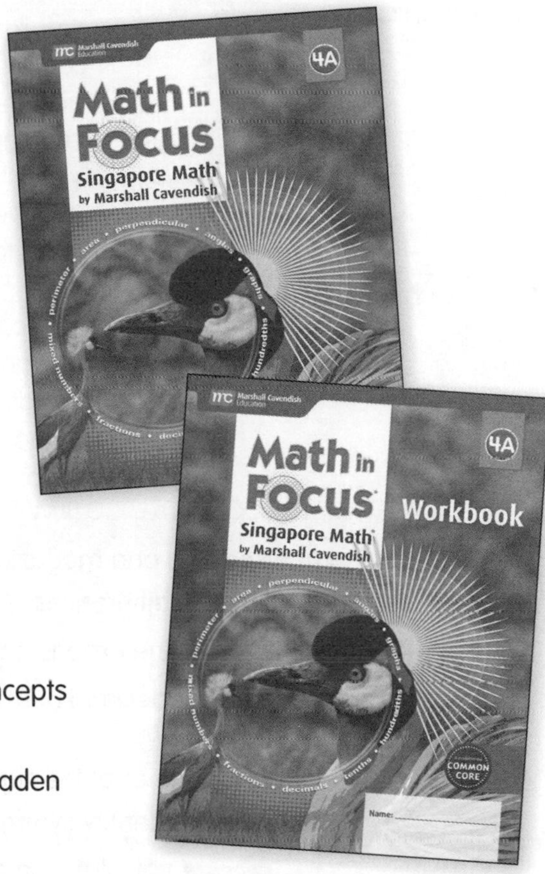

The *Math in Focus®* program consists of Student textbooks and Workbooks that work together. At school, your child will use the Student textbook to learn math concepts and practice extensively to develop a deeper understanding. Your child will also participate in activities or games, and discuss his or her findings in class.

Your child will be assigned pages from the Workbook to be completed as individual work. This will include:

Practice problems to reinforce math skills and concepts

Put on Your Thinking Cap!

- **Challenging Practice** problems to help broaden your child's thinking skills and extend their understanding of concepts
- **Problem Solving** questions to challenge your child to use relevant problem-solving strategies for non-routine problems

Math in Focus® addresses topics in greater depth at each grade. This year, your fourth grader will focus on:

- building problem-solving skills and strategies
- multiplying and dividing with 1-digit and 2-digit numbers
- using tables, graphs, data, and probability
- adding and subtracting with fractions and decimals
- understanding relationships between fractions and decimals
- studying angles, line segments, area, and perimeter

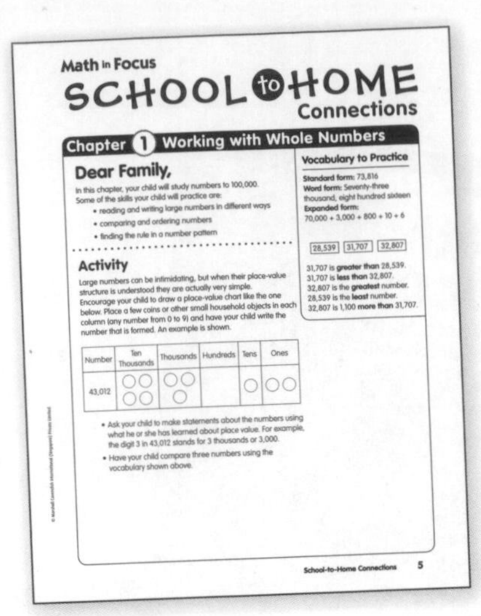
Math in Focus
SCHOOL to HOME Connections

Chapter 1 Working with Whole Numbers

Dear Family,

In this chapter, your child will study numbers to 100,000. Some of the skills your child will practice are:
- reading and writing large numbers in different ways
- comparing and ordering numbers
- finding the rule in a number pattern

Activity

Large numbers can be intimidating, but when their place-value structure is understood they are actually very simple. Encourage your child to draw a place-value chart like the one below. Place a few coins or other small household objects in each column (any number from 0 to 9) and have your child write the number that is formed. An example is shown.

Number	Ten Thousands	Thousands	Hundreds	Tens	Ones
43,012	○○ ○○	○○ ○		○	○○

- Ask your child to make statements about the numbers using what he or she has learned about place value. For example, the digit 3 in 43,012 stands for 3 thousands or 3,000.
- Have your child compare three numbers using the vocabulary shown above.

Vocabulary to Practice

Standard form: 73,816
Word form: Seventy-three thousand, eight hundred sixteen
Expanded form: 70,000 + 3,000 + 800 + 10 + 6

28,539 31,707 32,807

31,707 is **greater than** 28,539.
31,707 is **less than** 32,807.
32,807 is the **greatest** number.
28,539 is the **least** number.
32,807 is 1,100 **more than** 31,707.

School-to-Home Connections 5

You can help your child build confidence as well as communication skills in mathematics by practicing newly acquired skills at home. Throughout the year, I will be sending home letters that will help you understand what your child will be learning in school. These letters contain activities that give you and your child an opportunity to work together to hone new skills.

You can encourage your child's efforts by taking advantage of opportunities to use math in everyday situations. Allow your child's math class-work or homework to guide you in determining the appropriate level of challenge.

While reading newspapers and magazines, invite your child to:
- estimate sums and differences
- look for tables and line graphs and interpret them
- keep an eye out for decimal numbers

At home or at the supermarket, challenge your child to:
- identify symmetric shapes and tessellations
- calculate the change he or she will get after buying groceries
- estimate monthly household bills

On car or bus trips, allow your child to:
- read decimal distances on the odometer
- calculate a fraction of the total distance traveled between two places
- make associations between turns and right angles

I look forward to working with you and your child this year. Please contact me if you have any questions about the program or about your child's progress.

Estimada familia,

Bienvenidos a *Math in Focus®: Singapore Math® by Marshall Cavendish*, el plan de estudios de matemáticas del cuarto grado de Singapur, adaptado para clases de EE.UU. según normas matemáticas actualizadas.

El programa *Math in Focus®* consta de textos y libros de trabajo para el estudiante que se utilizan en conjunto. En la escuela, su hijo utilizará el texto para el estudiante para aprender conceptos matemáticos y practicar extensamente con el objeto de lograr una mayor comprensión. Su hijo también participará en actividades o juegos, y conversará sobre sus hallazgos en clases.

A su hijo se le asignarán páginas del libro de trabajo para que las complete como trabajo individual. Esto incluirá:

Problemas **prácticos** para reforzar las destrezas y los conceptos matemáticos

¡Pon tu cerebro a trabajar!

- Problemas **prácticos desafiantes** para ayudar a ampliar las destrezas de pensamiento y su comprensión de los conceptos
- Preguntas para **resolución de problemas** para desafiar a su hijo a utilizar estrategias de resolución de problemas no rutinarios

Math in Focus® abarca temas con mayor profundidad en cada grado. Este año, su hijo de cuarto grado se centrará en:

- crear destrezas y estrategias de resolución de problemas
- multiplicar y dividir con números de uno y dos dígitos
- usar tablas, gráficos, datos y probabilidad
- sumar y restar con fracciones y decimales
- entender relaciones entre fracciones y decimales
- estudiar ángulos, segmentos, área y perímetro

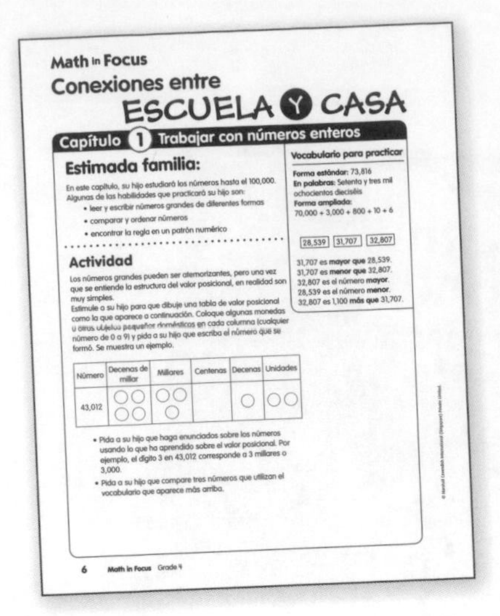

Math in Focus

Conexiones entre

ESCUELA Y CASA

Capítulo 1 Trabajar con números enteros

Estimada familia:

En este capítulo, su hijo estudiará los números hasta el 100,000. Algunas de las habilidades que practicará su hijo son:

- leer y escribir números grandes de diferentes formas
- comparar y ordenar números
- encontrar la regla en un patrón numérico

Actividad

Los números grandes pueden ser atemorizantes, pero una vez que se entiende la estructura del valor posicional, en realidad son muy simples.

Estimule a su hijo para que dibuje una tabla de valor posicional como la que aparece a continuación. Coloque algunas monedas u otros objetos pequeños domésticos en cada columna (cualquier número de 0 a 9) y pida a su hijo que escriba el número que se formó. Se muestra un ejemplo.

Número	Decenas de millar	Millares	Centenas	Decenas	Unidades
43,012	○○○○	○○○		○	○○

- Pida a su hijo que haga enunciados sobre los números usando lo que ha aprendido sobre el valor posicional. Por ejemplo, el dígito 3 en 43,012 corresponde a 3 millares o 3,000.
- Pida a su hijo que compare tres números que utilizan el vocabulario que aparece más arriba.

Vocabulario para practicar

Forma estándar: 73,816

En palabras: Setenta y tres mil ochocientos dieciséis

Forma ampliada:
70,000 + 3,000 + 800 + 10 + 6

28,539 | 31,707 | 32,807

31,707 es **mayor que** 28,539.
31,707 es **menor que** 32,807.
32,807 es el número **mayor**.
28,539 es el número **menor**.
32,807 es 1,100 **más que** 31,707.

6 Math in Focus Grade 4

Puede ayudar a su hijo a crear confianza y destrezas de comunicación en matemáticas al practicar en casa las destrezas recientemente adquiridas. Durante el año, le enviaré cartas que le permitirán entender qué estará aprendiendo su hijo en la escuela. Estas cartas contienen actividades que brindan a usted y a su hijo una oportunidad para trabajar juntos con el fin de perfeccionar sus nuevas destrezas.

Puede estimular los esfuerzos de su hijo al aprovechar las oportunidades de utilizar matemáticas en situaciones cotidianas. Permita que el trabajo en clase o las tareas de matemáticas de su hijo lo orienten para determinar el nivel adecuado de desafío.

Cuando lea periódicos y revistas, invite a su hijo a:

- estimar sumas y diferencias
- hallar tablas y gráficas lineales e interpretarlas
- estar atentos a los números decimales

En la casa o en el supermercado, inste a su hijo a:

- identificar formas simétricas y teselaciones
- calcular el cambio que recibirá después de comprar abarrotes
- estimar las cuentas domésticas mensuales

Durante viajes en automóvil o autobús, permita que su hijo:

- lea distancias decimales en el odómetro
- calcule una fracción de la distancia total recorrida entre dos lugares
- haga asociaciones entre giros y ángulos rectos

Espero con interés trabajar con usted y su hijo este año. Comuníquese conmigo si tiene alguna pregunta sobre el programa o sobre el avance de su hijo.

Math in Focus

SCHOOL to HOME Connections

Chapter 1 Working with Whole Numbers

Dear Family,

In this chapter, your child will study numbers to 100,000.
Some of the skills your child will practice are:

- reading and writing large numbers in different ways
- comparing and ordering numbers
- finding the rule in a number pattern

Activity

Large numbers can be intimidating, but when their place-value structure is understood they are actually very simple. Encourage your child to draw a place-value chart like the one below. Place a few coins or other small household objects in each column (any number from 0 to 9) and have your child write the number that is formed. An example is shown.

Number	Ten Thousands	Thousands	Hundreds	Tens	Ones
43,012	○○○○	○○○		○	○○

- Ask your child to make statements about the numbers using what he or she has learned about place value. For example, the digit 3 in 43,012 stands for 3 thousands or 3,000.
- Have your child compare three numbers using the vocabulary shown above.

Vocabulary to Practice

Standard form: 73,816
Word form: Seventy-three thousand, eight hundred sixteen
Expanded form:
70,000 + 3,000 + 800 + 10 + 6

28,539 31,707 32,807

31,707 is **greater than** 28,539.
31,707 is **less than** 32,807.
32,807 is the **greatest** number.
28,539 is the **least** number.
32,807 is 1,100 **more than** 31,707.

Conexiones entre ESCUELA Y CASA

Capítulo 1 Trabajar con números enteros

Estimada familia:

En este capítulo, su hijo estudiará los números hasta el 100,000. Algunas de las habilidades que practicará su hijo son:

- leer y escribir números grandes de diferentes formas
- comparar y ordenar números
- encontrar la regla en un patrón numérico

Actividad

Los números grandes pueden ser atemorizantes, pero una vez que se entiende la estructura del valor posicional, en realidad son muy simples.
Estimule a su hijo para que dibuje una tabla de valor posicional como la que aparece a continuación. Coloque algunas monedas u otros objetos pequeños domésticos en cada columna (cualquier número de 0 a 9) y pida a su hijo que escriba el número que se formó. Se muestra un ejemplo.

Número	Decenas de millar	Millares	Centenas	Decenas	Unidades
43,012	○○ ○○	○○ ○		○	○○

- Pida a su hijo que haga enunciados sobre los números usando lo que ha aprendido sobre el valor posicional. Por ejemplo, el dígito 3 en 43,012 corresponde a 3 millares o 3,000.
- Pida a su hijo que compare tres números que utilizan el vocabulario que aparece más arriba.

Vocabulario para practicar

Forma estándar: 73,816
En palabras: Setenta y tres mil ochocientos dieciséis
Forma ampliada:
70,000 + 3,000 + 800 + 10 + 6

28,539	31,707	32,807

31,707 es **mayor que** 28,539.
31,707 es **menor que** 32,807.
32,807 es el número **mayor**.
28,539 es el número **menor**.
32,807 es 1,100 **más que** 31,707.

Math in Focus

SCHOOL to HOME Connections

Chapter 2 Estimation and Number Theory

Dear Family,

In this chapter, your child will learn about estimation, and factors and multiples.

Some of the skills your child will practice are:

- estimating, and choosing between an estimate and an exact answer
- finding common factors and common multiples
- identifying prime numbers and composite numbers

Activity

Finding common factors and common multiples of numbers is a math skill that has numerous applications in everyday life.

Explain the following scenario to your child. Joe takes 4 minutes to run around a track. Ali takes 6 minutes to run around the same track. They start running from the start line at the same time.

- Help your child work out how many minutes later Joe and Ali meet again at the start line.
- Use a chart like this to help you. The chart shows the time in which each of them completes a certain number of laps.

	1 lap	2 laps	3 laps	4 laps	5 laps	6 laps
Joe	4 min	8 min		16 min	20 min	24 min
Ali	6 min			24 min	30 min	36 min

- Now, help your child see how this is linked to finding the least common multiple of 4 and 6. (12 minutes is 3 times 4 minutes and also 2 times 6 minutes.)

Vocabulary to Practice

2 is a **factor** of 12, as 12 can be divided exactly by 2.

The **greatest common factor** is the greatest number among all the common factors of two or more numbers.

A **multiple** of a number is the product of the number and any other whole number except zero. 12 is a multiple of 2.

The **least common multiple** is the least number among all the common multiples of two or more numbers.

Math in Focus

Conexiones entre ESCUELA Y CASA

Capítulo 2 Estimación y teoría de los números

Estimada familia:

En este capítulo, su hijo aprenderá sobre la estimación y los factores y múltiplos.
Algunas de las habilidades que practicará su hijo son:

- estimar y elegir entre una estimación y una respuesta exacta
- hallar factores comunes y múltiplos comunes
- identificar números primos y números compuestos

Actividad

Hallar factores comunes y múltiplos comunes es una destreza matemática que tiene numerosas aplicaciones en la vida cotidiana.
Explique la siguiente situación a su hijo. Joe tarda 4 minutos en correr alrededor de la pista. Ali tarda 6 minutos en correr alrededor de la misma pista. Comienzan a correr desde la línea de partida al mismo tiempo.

- Ayude a su hijo a averiguar cuántos minutos más tarde se reúnen Joe y Ali en la línea de partida.
- Utilice una tabla como esta para ayudarle. La tabla muestra la hora en que cada uno de ellos completa un determinado número de vueltas.

	1 vuelta	2 vueltas	3 vueltas	4 vueltas	5 vueltas	6 vueltas
Joe	4 min	8 min		16 min	20 min	24 min
Ali	6 min			24 min	30 min	36 min

- Ahora, ayude a su hijo a descubrir de qué modo esto se relaciona con la búsqueda del mínimo común múltiplo de 4 y 6. (12 minutos equivale a 3 por 4 minutos y también 2 por 6 minutos.)

Vocabulario para practicar

2 es un **factor** de 12, ya que 12 se puede dividir exactamente entre 2.

El **máximo factor común** es el número mayor entre todos los factores comunes de dos o más números.

Un **múltiplo** de un número es el producto del número y cualquier otro número entero, excepto cero. 12 es un múltiplo de 2.

El **mínimo común múltiplo** es el número menor entre todos los múltiplos comunes de dos o más números.

Math in Focus

SCHOOL to HOME Connections

Chapter 3 Whole Number Multiplication and Division

Dear Family,

In this chapter, your child will study multiplication and division of whole numbers.
Some of the skills your child will practice are:

- multiplying and dividing with regrouping
- estimating products and quotients
- solving real-world problems

Activity

Estimating products and quotients is an important mental math skill. You can carry out many activities around the house to help your child practice this skill. For example, show your child some grocery bills for your family for the current month.

- Have your child estimate the grocery bill for different hypothetical scenarios. For example, what would the grocery bill be for a family with twice as many members as your own? What would be the amount spent on groceries if the prices of all items were doubled?

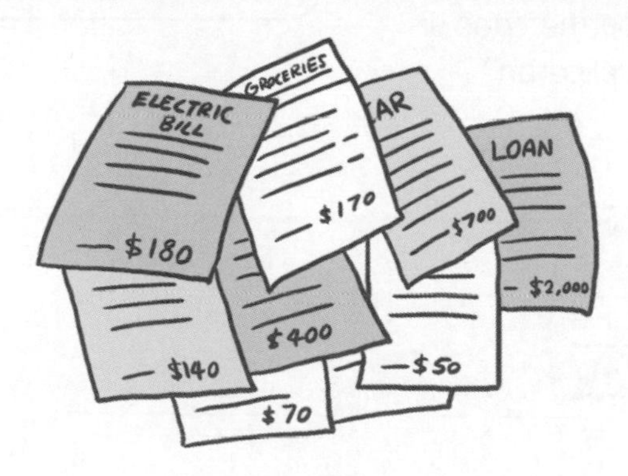

Vocabulary to Practice

A **product** is the answer to a multiplication problem. 12 is the product of 6 and 2.

A **quotient** is the answer to a division problem. When 100 is divided by 2, the quotient is 50.

A **remainder** is the number left over when a number cannot be divided evenly. $11 \div 5 = 2$ R 1
When 11 is divided by 5, the remainder is 1.

To **estimate** 576×12, you can
round $576 \rightarrow 600$
round $12 \rightarrow 10$
The estimate is
$600 \times 10 = 6{,}000$.

Math in Focus

Conexiones entre ESCUELA Y CASA

Capítulo 3 Multiplicación y división de números enteros

Estimada familia:

En este capítulo, su hijo estudiará la multiplicación y división de números enteros.
Algunas de las habilidades que practicará su hijo son:

- multiplicar y dividir con reagrupación
- estimar productos y cocientes
- resolver problemas reales

Actividad

Estimar productos y cocientes es una destreza matemática mental importante. Puede realizar muchas actividades en su casa para ayudar a su hijo a practicar esta destreza. Por ejemplo, muestre a su hijo algunas cuentas de supermercado de la familia del mes en curso.

- Pida a su hijo que estime la cuenta del supermercado para diferentes situaciones hipotéticas. Por ejemplo, ¿cuánto sería la cuenta de supermercado para una familia con el doble de integrantes que la tuya? ¿Cuál sería el monto que se gastaría en el supermercado si los precios de todos los productos se duplicaran?

Vocabulario para practicar

Un **producto** es la respuesta a un problema de multiplicación. 12 es el producto de 6 y 2.

Un **cociente** es la respuesta a un problema de división. Cuando 100 se divide entre 2, el cociente es 50.

Un **residuo** es el número restante cuando un número no se puede dividir exactamente.
$11 \div 5 = 2 \text{ R } 1$
Cuando se divide 11 entre 5, el residuo es 1.

Para **estimar** 576×12, puede
redondear $576 \rightarrow 600$
redondear $12 \rightarrow 10$
La estimación es
$600 \times 10 = 6{,}000$.

Math in Focus

SCHOOL to HOME Connections

Chapter 4 Tables and Line Graphs

Dear Family,

In this chapter, your child will study tables and line graphs. Some of the skills your child will practice are:

- making and interpreting tables and line graphs
- choosing an appropriate graph to display a given data set

Activity

Reading and interpreting line graphs is an important math skill which allows your child to visualize trends and developments over time. Encourage your child to find some line graphs in newspapers.

- Ask your child to read the axes labels and graph titles, and then describe what each of these graphs represents. Help them to see that although the scenarios are different, line graphs are always used to show how data changes over time.

Vocabulary to Practice

A set of **data** is a set of information, usually numbers.

A **table** organizes and presents data in rows and columns.
Rows organize data in a table horizontally.
Columns organize data in a table vertically.
An **intersection** is the area of the table where a row and a column meet.

A **line graph** shows how data changes over time.
The **horizontal axis** on a graph is the line that runs straight across from left to right.
The **vertical axis** on a graph runs straight up and down.

Math in Focus

Conexiones entre ESCUELA Y CASA

Capítulo 4 Tablas y gráficas lineales

Estimada familia:

En este capítulo, su hijo estudiará las tablas y gráficas lineales. Algunas de las habilidades que practicará su hijo son:

- hacer e interpretar tablas y gráficas lineales
- elegir una gráfica para representar un conjunto de datos determinado

Actividad

Leer e interpretar gráficas de línea es una destreza matemática importante, que permite a su hijo visualizar tendencias y desarrollos con el tiempo. Inste a su hijo a que busque algunas gráficas lineales en periódicos.

- Pida a su hijo que lea los rótulos de ejes y títulos de gráficas, y luego describa qué representa cada uno de estos gráficos.

  Ayúdelos a darse cuenta de que aunque las situaciones sean diferentes, las gráficas de líneas siempre se utilizan para mostrar de qué modo los datos cambian con el tiempo.

Vocabulario para practicar

Un conjunto de **datos** es un conjunto de información, por lo general, números.

Una **tabla** organiza y presenta datos en filas y columnas.
Las **filas** organizan datos en una tabla horizontalmente.
Las **columnas** organizan datos en una tabla verticalmente.
Una **intersección** es el área de la tabla donde se junta una fila con una columna.

Una **gráfica lineal** representa de qué modo los datos cambian con el tiempo.
El **eje horizontal** en una gráfica es la línea que va en forma recta de izquierda a derecha.
El **eje vertical** en una gráfica va en forma recta de arriba hacia abajo.

Math in Focus

SCHOOL to HOME Connections

Chapter 5 Data and Probability

Dear Family,

In this chapter, your child will learn to find a typical value for a data set and predict the probability of different results.
Some of the skills your child will practice are:

- finding the mean, median, mode, and range of a data set from raw data, line plots, and stem-and-leaf plots
- determining the likelihood and probability of an event

Activity

We deal with probability in everyday life whenever we are faced with situations where we are not sure what is going to happen. Examples are: what the weather will be like tomorrow, what you are likely to roll on a die, and so on. This activity will help your child explore such situations. Show your child this number line.

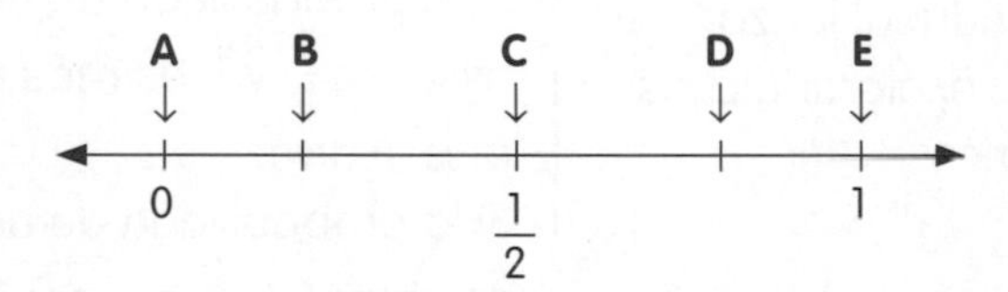

- Have your child think of and describe some events with the probability shown by the arrows **A–E** on the number line. Encourage your child to use the terms *more likely, less likely, equally likely, certain,* and *impossible* to describe the likelihood of these events happening.

  For example, **A** represents an impossible event and **E** represents a certain event. If you toss a regular die, it is certain that it will show a number less than 7 and impossible that it will show a number greater than 7.

Vocabulary to Practice

An **outcome** is the result in a probability experiment.
A **favorable outcome** is a desired result.

Probability
$= \frac{\text{Number of favorable outcomes}}{\text{Number of possible outcomes}}$

An outcome that will definitely occur is a **certain** outcome.
An outcome that will definitely not occur is an **impossible** outcome.
If the probability of an outcome is between $\frac{1}{2}$ and 1, it is **more likely** to occur.
If the probability of an outcome is between 0 and $\frac{1}{2}$, it is **less likely** to occur.
Outcomes that have the same chance or probability of occurring are described as **equally likely** outcomes.

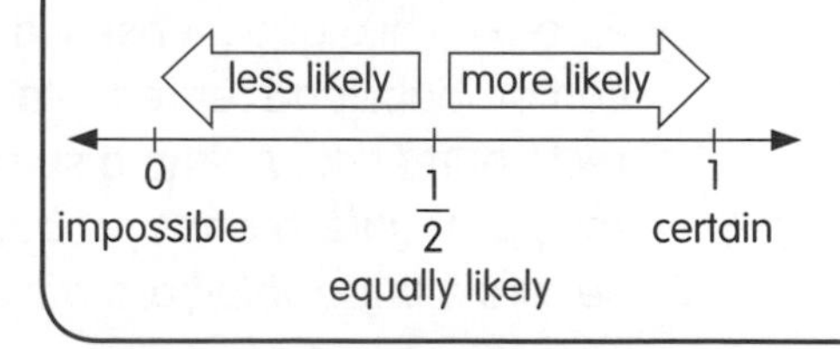

Math in Focus

Conexiones entre ESCUELA Y CASA

Capítulo 5 Datos y probabilidad

Estimada familia:

En este capítulo, su hijo aprenderá a buscar un valor típico para un conjunto de datos y predecir la probabilidad de diferentes resultados.

Algunas de las habilidades que practicará su hijo son:

- encontrar la media, la mediana, la moda, y el rango de un conjunto de datos de datos sin procesar, diagramas de punto y diagrama de tallo y hoja
- determinar la posibilidad y probabilidad de un evento

Actividad

Nos vemos enfrentados a la probabilidad en nuestra vida cotidiana cada vez que estamos frente a situaciones en las que no estamos seguros qué va a suceder. Algunos ejemplos son: cómo estará el tiempo mañana, que obtendrá al lanzar un dado, etc. Esta actividad ayudará a su hijo a explorar dichas situaciones. Muestre a su hijo esta recta numérica.

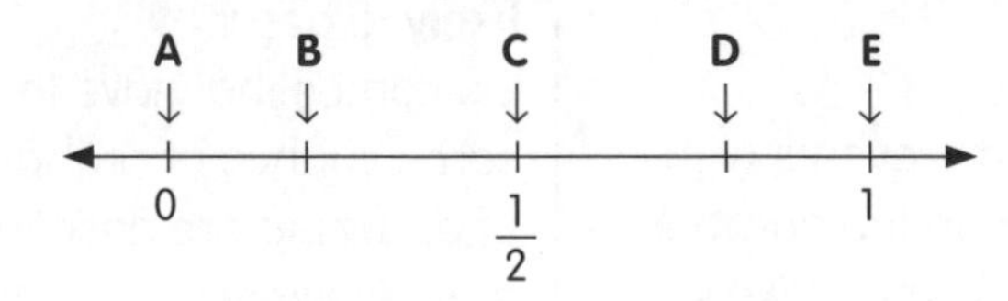

- Pida a su hijo que piense y describa algunos eventos con probabilidad representada por las flechas **A** - **E** en la recta numérica. Anime a su hijo a que use los términos *más probable, menos probable, igualmente probable, seguro* e *imposible* para describir la posibilidad de estos eventos ocurriendo.

  Por ejemplo, **A** representa un evento imposible y **E** representa un evento seguro. Si lanza un dado común, es seguro que obtendrá un número menor que 7 e imposible que obtenga un número mayor que 7.

Vocabulario para practicar

Un **resultado** es la consecuencia en un experimento de probabilidad.

Un **resultado favorable** es un resultado deseado.

Probabilidad

$= \dfrac{\text{Número de resultados favorables}}{\text{Número de posibles resultados}}$

Un resultado que ocurrirá definitivamente es un resultado **seguro**.

Un resultado que definitivamente no ocurrirá es un resultado **imposible**.

Si la probabilidad de un resultado es entre $\frac{1}{2}$ y 1, es **más probable** que ocurra.

Si la probabilidad de un resultado es entre 0 y $\frac{1}{2}$, es **menos probable** que ocurra.

Los resultados que tienen la misma posibilidad o probabilidad de ocurrir se describen como resultados **igualmente probables**.

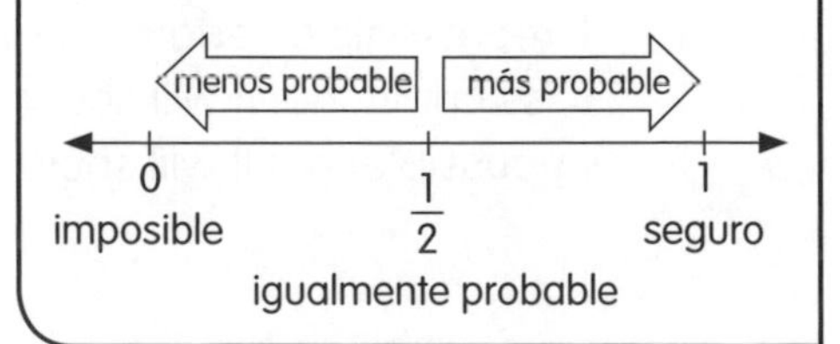

Math in Focus

SCHOOL to HOME Connections

Chapter 6 Fractions and Mixed Numbers

Dear Family,

In this chapter, your child will learn more about computing with fractions and mixed numbers.
Some of the skills your child will practice are:

- adding and subtracting fractions
- converting between mixed numbers and improper fractions
- finding a fraction of a set
- solving real-world problems

Activity

Finding the fraction of a set or a number is a useful skill with many applications in everyday life. Look out for opportunities like the following to help your child practice this skill:

- While traveling by bus or car, tell your child that the distance between two points, say your home and school, is 4 miles. Ask your child to calculate the distance between the school and another place, say the library, which is half-way between school and home. (Answer: $\frac{1}{2} \times 4 = 2$ mi)

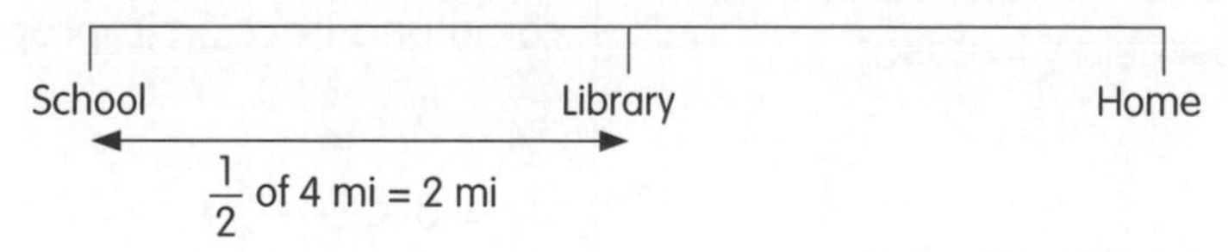

- Tell your child that you read $\frac{1}{4}$ of a book that has a total of 100 pages. Ask your child to find how many pages you read. (Answer: $\frac{1}{4} \times 100 = 25$ pages)

Vocabulary to Practice

A **mixed number** represents the sum of a whole number and a fraction. Example: $2\frac{1}{4}$

An **improper fraction** has a numerator that is equal to or greater than its denominator. It represents a fraction that is greater than or equal to 1.
Example: $\frac{7}{3}$

The **division rule** can be used to rename an improper fraction as a mixed number.

$\frac{9}{4} = 9 \div 4 = 2 \text{ R } 1$

$\frac{9}{4} = 2\frac{1}{4}$

The **multiplication rule** can be used to rename a mixed number as an improper fraction.

$$3\frac{3}{4} = 3 + \frac{3}{4}$$
$$= 3 \times \frac{4}{4} + \frac{3}{4}$$
$$= \frac{12}{4} + \frac{3}{4}$$
$$= \frac{15}{4}$$

Math in Focus

Conexiones entre ESCUELA Y CASA

Capítulo 6 Fracciones y números mixtos

Estimada familia:

En este capítulo, su hijo aprenderá más acerca del cálculo con fracciones y números mixtos.
Algunas de las destrezas que practicará su hijo incluyen:

- sumar y restar fracciones
- convertir entre números mixtos y fracciones impropias
- hallar una fracción de un conjunto
- resolver problemas reales

Actividad

Hallar la fracción de un conjunto o un número es una destreza útil con muchas actividades en la vida cotidiana. Busque oportunidades como la siguiente para ayudar a su hijo a practicar esta destreza:

- En un viaje en automóvil, diga a su hijo que la distancia entre dos puntos, por ejemplo, su casa y la escuela, es cuatro millas. Pida a su hijo que calcule la distancia entre la escuela y otro lugar, por ejemplo, la biblioteca, que queda en medio entre la escuela y la casa. (Respuesta: $\frac{1}{2} \times 4 = 2$ mi)

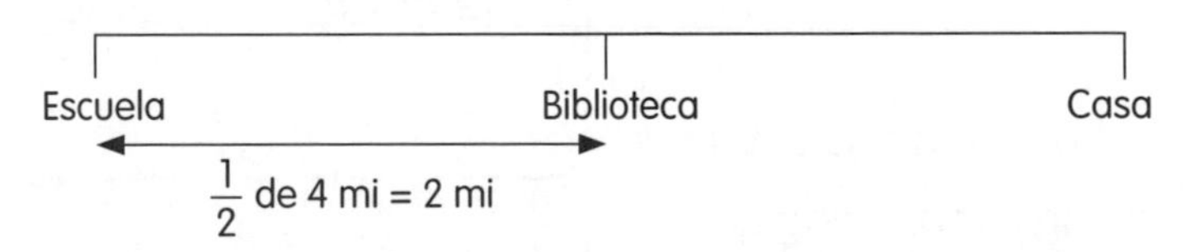

- Diga a su hijo que usted lee $\frac{1}{4}$ de un libro que tiene un total de 100 páginas. Pida a su hijo que halle cuántas páginas lee. (Respuesta: $\frac{1}{4} \times 100 = 25$ páginas)

Vocabulario para practicar

Un **número mixto** representa la suma de un número entero y una fracción. Por ejemplo: $2\frac{1}{4}$

Una **fracción impropia** tiene un numerador que es igual o mayor que su denominador. Representa una fracción que es mayor o igual a 1.
Por ejemplo: $\frac{7}{3}$

La **regla de la división** se puede utilizar para expresar de otra manera una fracción impropia como un número mixto.

$\frac{9}{4} = 9 \div 4 = 2 \text{ R } 1$

$\frac{9}{4} = 2\frac{1}{4}$

La **regla de la multiplicación** se puede utilizar para expresar de otra manera un número mixto como una fracción impropia.

$$\begin{aligned} 3\frac{3}{4} &= 3 + \frac{3}{4} \\ &= 3 \times \frac{4}{4} + \frac{3}{4} \\ &= \frac{12}{4} + \frac{3}{4} \\ &= \frac{15}{4} \end{aligned}$$

Math in Focus

SCHOOL to HOME Connections

Chapter 7 Decimals

Dear Family,

In this chapter, your child will be introduced to decimals. Some of the skills your child will practice are:

- expressing fractions and mixed numbers as decimals
- comparing and ordering decimals
- rounding decimals

Activity

Decimals are used to show amounts that are parts of a whole. Encourage your child to keep an eye out for instances where decimals are used. (For example, distance shown on an odometer, prices of most items at a supermarket, bank interest rates, a 1.5 liter bottle of juice, and so on.) Use this activity to help your child practice some of the skills he or she has learned.

- Use playing cards or make two sets of cards with the numbers 1, 2, 4, 5, and 10.
- Have your child pick two number cards from the stack, and form proper or improper fractions using the two numbers. Make four such fractions.
- Ask your child to write these fractions as decimals, and then order them from least to greatest.
- You can verify answers with a calculator. For example, $\frac{5}{4}$ is $5 \div 4 = 1.25$

Vocabulary to Practice

A **decimal** is a way to show amounts that are parts of a whole.

1.52 is a decimal.

↑

decimal point

$\frac{1}{10}$ = 1 **tenth**

1 tenth written in **decimal form** is 0.1.

$\frac{1}{100}$ = 1 **hundredth**

0.3	0.6	7.2

Here, 0.3 is the **least** decimal and 7.2 is the **greatest** decimal.

Math in Focus

Conexiones entre ESCUELA Y CASA

Capítulo 7 Decimales

Estimada familia:

En este capítulo, a su hijo se le presentarán los decimales. Algunas de las habilidades que practicará su hijo son:

- expresar fracciones y números mixtos como decimales
- comparar y ordenar decimales
- redondear decimales

Actividad

Los decimales se utilizan para representar cantidades que forman parte de un entero. Pida a su hijo a que preste atención a instancias en las que se usan decimales. (Por ejemplo, la distancia que aparece en un odómetro, los precios de la mayoría de los productos en un supermercado, tasas de interés bancarias, una botella de jugo de 1.5 litros, etc.) Use esta para ayudar a su hijo a practicar algunas de las destrezas que ha aprendido.

- Use las tarjetas de juego o elabore dos conjuntos de tarjetas con los números 1, 2, 4, 5, y 10.
- Pida a su hijo que elija dos tarjetas con números de la pila y forme fracciones propias o impropias usando los dos números. Haga cuatro fracciones.
- Pida a su hijo que escriba estas fracciones como decimales y luego las ordene de menor a mayor.
- Puede verificar las respuestas con una calculadora. Por ejemplo, $\frac{5}{4}$ es $5 \div 4 = 1.25$

Vocabulario para practicar

Un **decimal** es una forma de representar cantidades que son partes de un entero.

1.52 es un decimal.

↑

punto decimal

$\frac{1}{10}$ = 1 **décimo**

1 décimo escrito en **forma decimal** es 0.1.

$\frac{1}{100}$ = 1 **centésimo**

0.3	0.6	7.2

Aquí, 0.3 es el decimal **menor** y 7.2 es el decimal **mayor**.

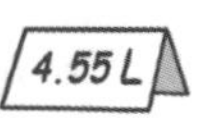

Math in Focus

SCHOOL to HOME Connections

Chapter 8 Adding and Subtracting Decimals

Dear Family,

In this chapter, your child will learn to add and subtract decimals and use this skill to solve real-world problems.

Activity

Adding and subtracting decimals is a key skill needed to perform simple everyday tasks. While traveling by car or on a trip to the supermarket, look for opportunities to demonstrate this to your child and help them practice some of the skills they have learned. For example, encourage your child to notice that at the supermarket, the prices of many items are listed as decimals, not whole numbers.

- Ask your child to write down the prices of 5 items from the supermarket.
- At home, have your child add these decimals to find the total cost of all 5 items.
- Ask your child to calculate how much money he or she will have remaining after buying these 5 items, if he or she had $70 to begin with. (Choose a number that is greater than the total cost of the 5 items.)

Vocabulary to Practice

Regrouping tenths:
10 tenths = 1 one

Ones	Tenths
←	○○○○○ ○○○○○

Regrouping hundredths:
10 hundredths = 1 tenth

Tenths	Hundredths
←	○○○○○ ○○○○○

Math in Focus

Conexiones entre ESCUELA Y CASA

Capítulo 8 Sumar y restar de decimales

Estimada familia:

En este capítulo, su hijo aprenderá a sumar y restar decimales y usar esta destreza para resolver problemas reales.

Actividad

Sumar y restar decimales es una destreza clave necesaria para realizar tareas cotidianas simples. Al viajar en automóvil o en un viaje al supermercado, busque oportunidades para demostrarlo a su hijo y ayudarle a practicar alguna de las destrezas que ha aprendido. Por ejemplo, diga a su hijo que observe que en el supermercado, los precios de muchos productos se indican como decimales, no como números enteros.

- Pida a su hijo que escriba los precios de 5 productos del supermercado.
- En casa, pida a su hijo que sume estos decimales para hallar el costo total de los 5 productos.
- Pida a su hijo que calcule cuánto dinero le quedará después de comprar estos 5 productos, si en un principio tenía $70. (Elija un número mayor que el costo total de los 5 productos.)

Vocabulario para practicar

Reagrupación de décimos:
10 décimos = 1 unidad

Unidades	Décimos
←	○○○○○ ○○○○○

Reagrupación de centésimos:
10 centésimos = 1 décimo

Décimos	Centésimos
←	○○○○○ ○○○○○

Math in Focus

SCHOOL to HOME Connections

Chapter 9 Angles

Dear Family,

In this chapter your child will study angles.
Work in this chapter will include:

- measuring and drawing angles
- identifying acute, obtuse, right, and straight angles
- relating turns to the number of right angles

Activity

The concept of angles is fundamental to the study of geometry. Children must be able to estimate the measure of angles and use the correct vocabulary to describe them before they study geometry further. To practice new terms, have your child look at this diagram.

- Mark an angle on the diagram. Have your child estimate the measure of the angle and identify it as an acute, obtuse, or right angle. For example, the angle between East and Northwest is an obtuse angle because it is greater than 90°.
- Repeat with different angles.
- Now, ask your child to imagine that you are facing North. Ask, for example, what direction you will be facing if you complete a $\frac{3}{4}$-turn to the right. (Answer: West) Ask your child how many degrees you would have turned through. (Answer: 270°)

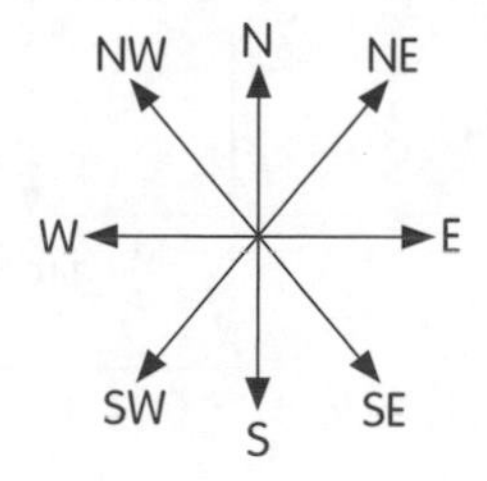

Vocabulary to Practice

An angle is measured in **degrees**.

A **right angle** has a measure of 90 degrees, which is written as 90°.
An angle that measures less than 90° is an **acute angle**.
An angle that measures more than 90° is an **obtuse angle**.
An angle that measures 180° is a **straight angle**.

$\frac{1}{4}$**-turn** is 1 right angle.

$\frac{1}{2}$**-turn** is 2 right angles.

$\frac{3}{4}$**-turn** is 3 right angles.

1 full turn is 4 right angles.

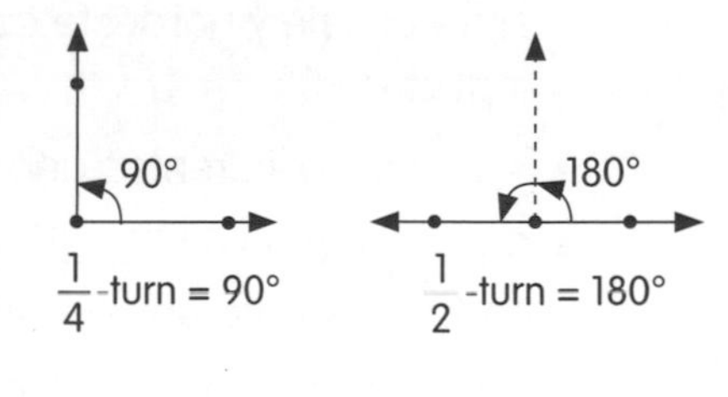

$\frac{1}{4}$-turn = 90° $\frac{1}{2}$-turn = 180°

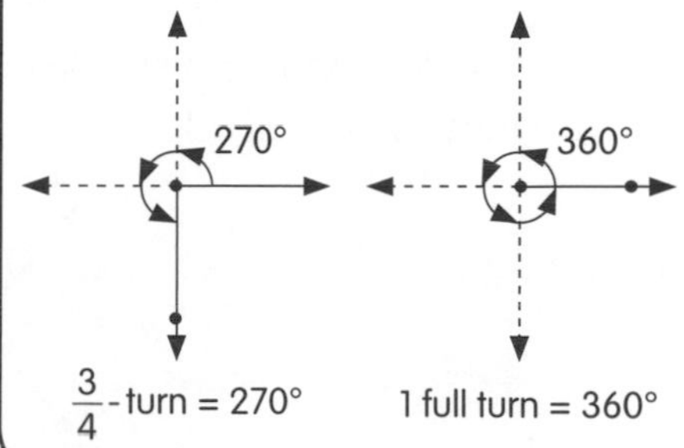

$\frac{3}{4}$-turn = 270°   1 full turn = 360°

Math in Focus

Conexiones entre ESCUELA Y CASA

Capítulo 9 Ángulos

Estimada familia:

En este capítulo, su hijo aprenderá a estudiar ángulos.
El trabajo en este capítulo incluirá:

- medir y dibujar ángulos
- identificar ángulos agudos, obtusos, rectos y llanos
- relacionar giros con el número de ángulos rectos

Actividad

El concepto de los ángulos es fundamental para el estudio de la geometría. Los niños deben ser capaces de estimar la medición de ángulos y usar el vocabulario correcto para describirlos antes de estudiar geometría en mayor detalle. Para practicar nuevos términos, pida a su hijo que vea este diagrama.

- Marque un ángulo en el diagrama. Pida a su hijo que estime la medición del ángulo y lo identifique como un ángulo agudo, obtuso o recto. Por ejemplo, el ángulo entre el este y noroeste es un ángulo obtuso porque es mayor a 90°.
- Repita con diferentes ángulos.
- Ahora pida a su hijo que imagine que se dirigen hacia el norte. Pregunte por ejemplo, hacia qué dirección irían si realizará un giro de $\frac{3}{4}$ hacia la derecha. (Respuesta: oeste) Pregunte a su hijo cuántos grados tendría que girar. (Respuesta: 270°)

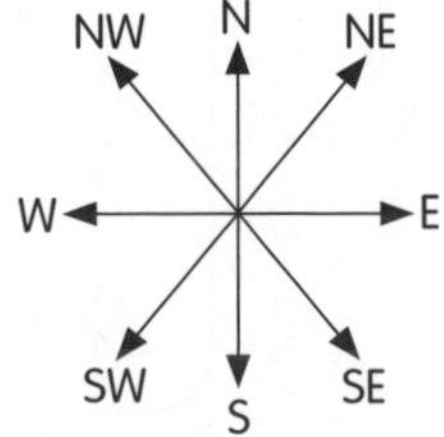

Vocabulario para practicar

Un ángulo se mide en **grados**.

Un **ángulo recto** mide 90 grados, que se escribe como 90°.
Un ángulo que mide menos de 90° es un **ángulo agudo**.
Un ángulo que mide más de 90° es un **ángulo obtuso**.
Un ángulo que mide 180° es un **ángulo llano**.

$\frac{1}{4}$-**giro** equivale a 1 ángulo recto.

$\frac{1}{2}$-**giro** equivale a 2 ángulos rectos.

$\frac{3}{4}$-**giro** equivale a 3 ángulos rectos.

1 giro completo equivale a 4 ángulos rectos.

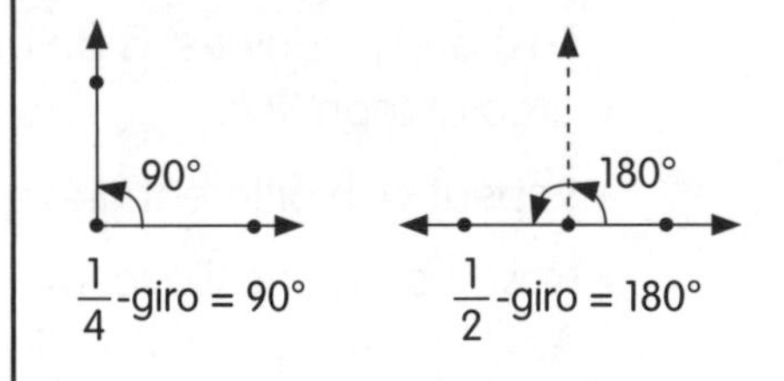

$\frac{1}{4}$-giro = 90° $\frac{1}{2}$-giro = 180°

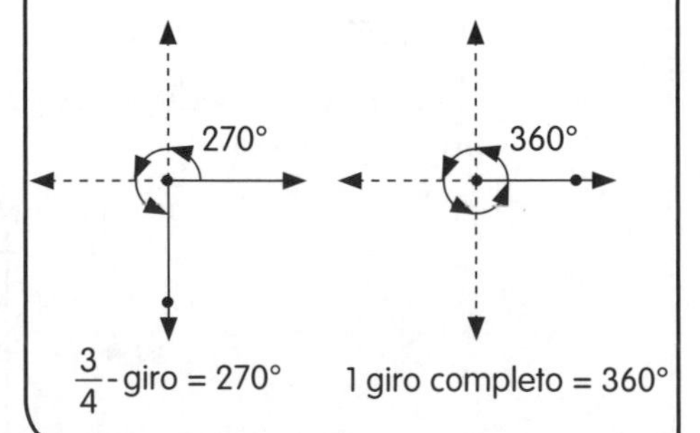

$\frac{3}{4}$-giro = 270°   1 giro completo = 360°

Math in Focus

SCHOOL to HOME Connections

Chapter 10 Perpendicular and Parallel Line Segments

Dear Family,

In this chapter, your child will study perpendicular and parallel line segments.
Some of the skills your child will practice are:

- using a protractor or drawing triangles to draw parallel and perpendicular line segments
- identifying horizontal and vertical lines

Activity

Understanding the different types of lines and line segments is important when children study the properties of plane and solid shapes. Help your child connect the concepts of parallel, perpendicular, horizontal, and vertical lines with this activity.
Invite your child to identify some horizontal line segments in a room. Examples are table edges, the sides of a doormat, and so forth.

- Ask your child to explain why they are horizontal. (Answer: Table edges are parallel to the level ground, so they are horizontal.)
- Now have your child identify line segments perpendicular to the ground. Examples are the legs of a table, the sides of a window frame, and so forth. Ask your child whether these are horizontal or vertical line segments, and ask why. (Answer: Table legs are perpendicular to the level ground, so they are vertical.)

Vocabulary to Practice

Perpendicular line segments are at right angles to each other.

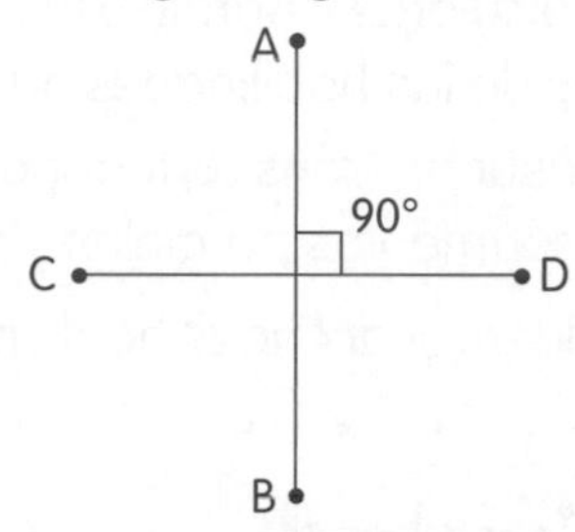

Parallel line segments will never meet, even if they are extended. They are always the same distance apart.

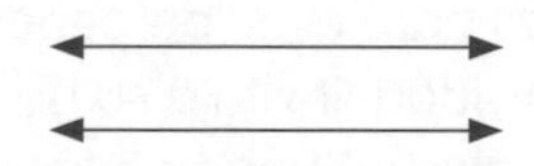

Horizontal lines are parallel to the level ground.

Vertical lines are perpendicular to the level ground.

Math in Focus

Conexiones entre ESCUELA Y CASA

Capítulo 10 Segmentos de recta paralelos y perpendiculares

Estimada familia:

En este capítulo, su hijo aprenderá a estudiar segmentos perpendiculares y paralelos.
Algunas de las habilidades que practicará su hijo son:

- usar un transportador o dibujar triángulos para dibujar segmentos paralelos y perpendiculares
- identificar líneas horizontales y verticales

Actividad

Entender los diferentes tipos de líneas y segmentos es importante cuando los niños estudian las propiedades de formas planas y cuerpos geométricos. Ayude a su hijo a relacionar los conceptos de líneas paralelas, perpendiculares, horizontales y verticales con esta actividad. Invite a su hijo a identificar algunos segmentos horizontales en una habitación. Algunos ejemplos son: bordes de mesas, los lados de una toalla, etc.

- Pida a su hijo que explique por qué son horizontales. (Respuesta: Los bordes de la mesa son paralelos al nivel del suelo, por lo tanto, son horizontales.)
- Ahora pida a su hijo que identifique segmentos perpendiculares al suelo. Algunos ejemplos son las patas de una mesa, los lados del marco de una ventana, etc. Pregunte a su hijo si son segmentos horizontales o verticales y por qué. (Respuesta: Las patas de la mesa son perpendiculares al nivel del suelo, por lo tanto, son verticales.)

Vocabulario para practicar

Los **segmentos perpendiculares** están en ángulos rectos uno respecto del otro.

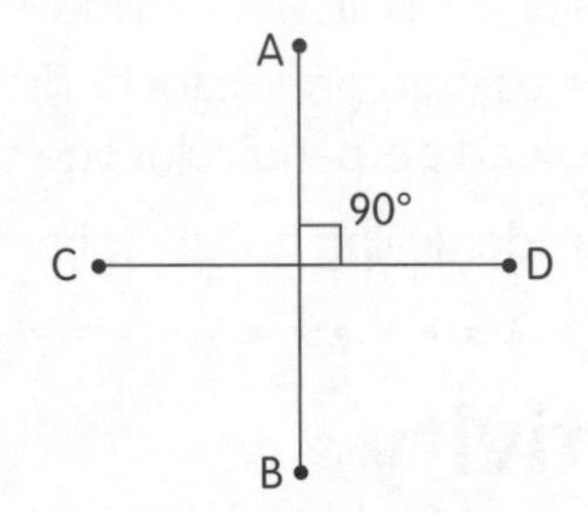

Los **segmentos paralelos** nunca se juntan, incluso si se extienden. Siempre están a la misma distancia.

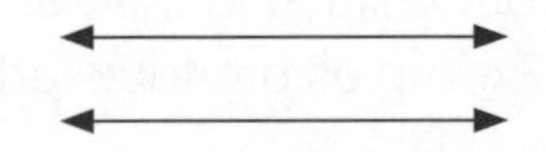

Las **líneas horizontales** son paralelas al nivel del suelo.

Las **líneas verticales** son perpendiculares al nivel del suelo.

Math in Focus

SCHOOL to HOME Connections

Chapter 11 Squares and Rectangles

Dear Family,

In this chapter, your child will learn about squares and rectangles. Some of the skills your child will practice are:

- identifying the properties of squares and rectangles
- finding unknown side lengths and angle measures

Activity

Having children form squares and rectangles from other geometric shapes tests their understanding of the properties of squares and rectangles. You can support your child with simple activities and puzzles around the house, like working with tangrams. A tangram is a puzzle which consists of seven shapes cut from a square that can be put together to make other shapes.

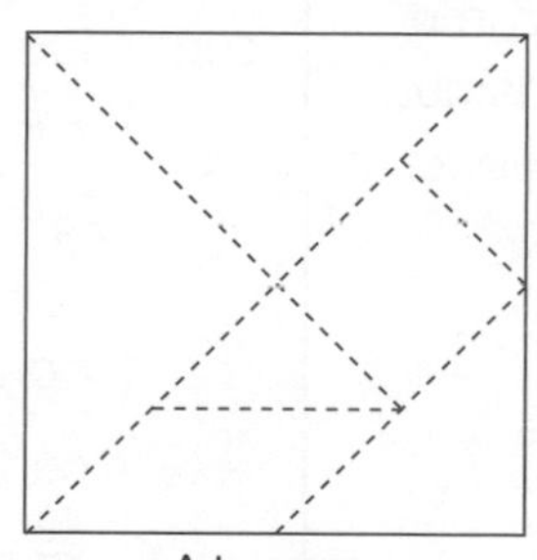

A tangram

- Ask your child to form squares and rectangles using different combinations of the seven pieces.

For example:

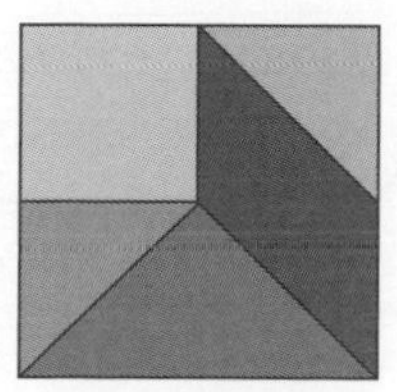

A square formed from 5 pieces

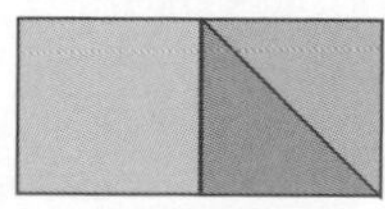

A rectangle formed from 3 pieces

Vocabulary to Practice

A **square** is a four-sided figure:

- it has four sides of equal length
- its opposite sides are parallel
- each of its angles is a right angle

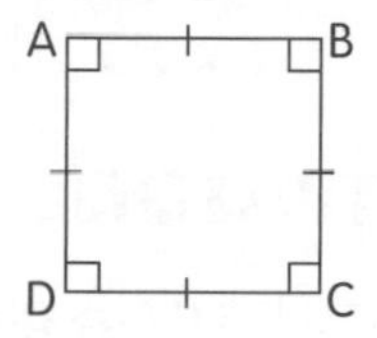

A **rectangle** is a four-sided figure:

- its opposite sides are of equal length
- its opposite sides are parallel
- each of its angles is a right angle

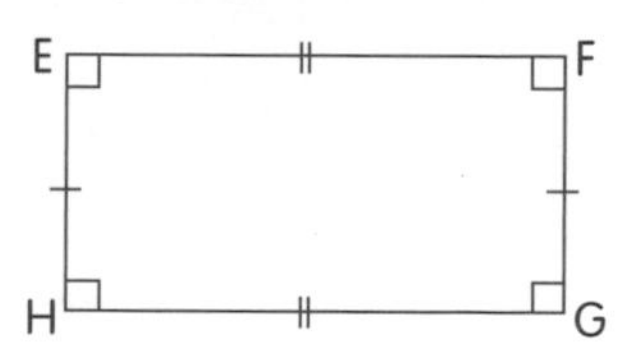

A square is a special type of rectangle.

Math in Focus

Conexiones entre ESCUELA Y CASA

Capítulo 11 Cuadrados y rectángulos

Estimada familia:

En este capítulo, su hijo aprenderá sobre los cuadrados y rectángulos
Algunas de las habilidades que practicará su hijo son:

- determinar las propiedades de los cuadrados y rectángulos
- hallar longitudes de los lados desconocidas y medidas de los ángulos

Actividad

Al pedir a los niños que formen cuadrados y rectángulos a partir de otras figuras geométricas se verifica su comprensión de las propiedades de los cuadrados y rectángulos. Puede apoyar a su hijo con actividades simples y rompecabezas en la casa, como trabajar con tangramas Un tangrama es un rompecabezas que consta de siete piezas cortadas de un cuadrado que se pueden juntar para hacer otras formas.

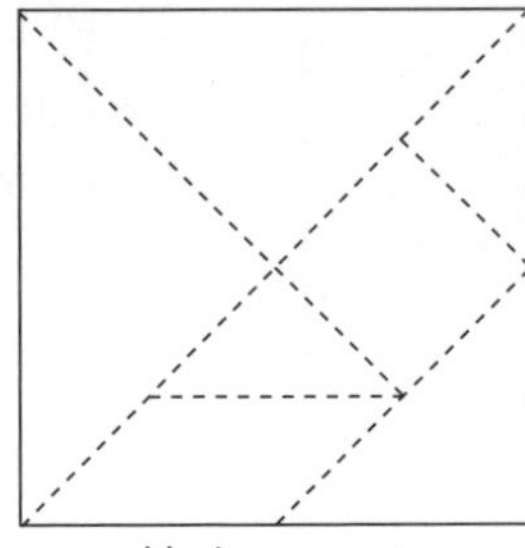
Un tangrama

- Pida a su hijo que forme cuadrados y rectángulos usando diferentes combinaciones de siete piezas.

Por ejemplo:

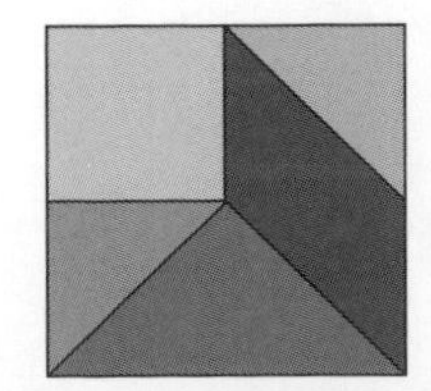
Un cuadrado formado con 5 piezas

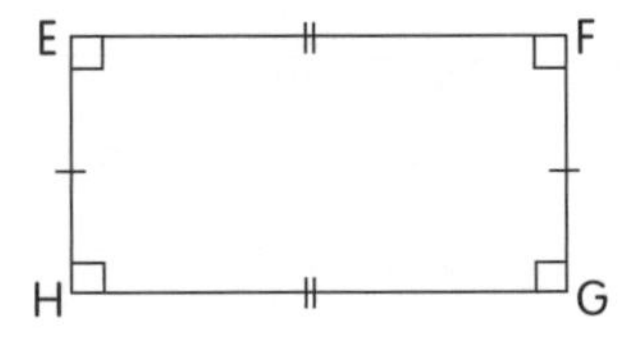
Un rectángulo formado con 3 piezas

Vocabulario para practicar

Un **cuadrado** es una figura de cuatro lados:

- tiene cuatro lados de igual longitud
- sus lados opuestos son paralelos
- cada uno de sus ángulos es un ángulo recto

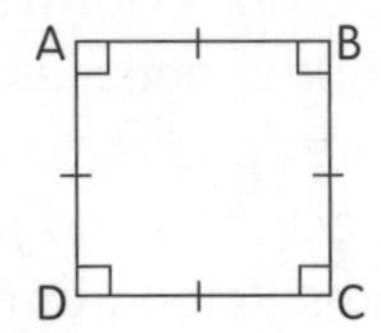

Un **rectángulo** es una figura de cuatro lados:

- sus lados opuestos son de igual longitud
- sus lados opuestos son paralelos
- cada uno de sus ángulos es un ángulo recto

E F H G

Un cuadrado es un tipo de rectángulo especial.

Math in Focus

SCHOOL to HOME Connections

Chapter 12 Conversion of Measurements

Dear Family,

In this chapter, your child will learn about the relative sizes of measurement units and will make conversions using metric and customary units of measurement.
Some of the conversions your child will practice are:

- Length: meter to centimeters, kilometer to meters, foot to inches, yard to feet, mile to yards
- Mass/Weight: kilogram to grams, pound to ounces
- Volume: liter to milliliters
- Time: minute to seconds, hour to minutes

Activity

Converting measurements is a practical skill in our everyday lives. For example, a recipe often provides the measurements to make enough food for 4–6 people, but if you want to feed a larger or smaller group, you need to convert the measurements in the recipe. This might require changing pounds to ounces to prepare the recipe for a smaller group, or changing ounces to pounds for a larger group. Hence, it is important to know how to convert measurement.

- Have your child list down all the items in the pantry and record the measurement of each item found in the label. Then get your child to convert each measurement to the nearest unit of measurement, for example, kilogram to grams, pound to ounces, and liter to milliliters.

  You can also highlight to your child to get a sense of the quantity of benchmark measurements—what a weight of 100 g, 500 g, 1 kg, and 5 kg feels like.

- Provide your child with the map of your town, city, or county. Guide your child to the distances indicated from one point to another on the map, such as, from the town center to the park or from your child's school to home. Then get your child to convert each measurement to the nearest unit of measurement.

Vocabulary to Practice

Customary units of length
meter (m), centimeter (cm), kilometer (km), foot (ft), inch (in.), yard (yd), mile (mi)
1 m = 100 cm
1 km = 1,000 m
1 ft = 12 in.
1 yd = 3 ft
1 mi = 1,760 yd

Customary units of weight
kilogram (kg), gram (g), pound (lb), ounce (oz), ton
1 kg = 1,000 g
1 lb = 16 oz
1 ton = 2,000 lb

Customary units of volume
liter (L), milliliter (mL)
1 L = 1,000 mL

Customary units of time
hour (h), minute (min), seconds (sec)
1 min = 60 sec
1 h = 60 min

Math in Focus

Conexiones entre ESCUELA Y CASA

Capítulo 12 Conversión de Medidas

Estimada familia:

En este capítulo, su hijo aprenderá acerca de los tamaños relativos de las unidades de medida y realizar conversiones unidades métricas y de medida.
Algunas de las conversiones que practicará su hijo son:

- Longitud: metros a centímetros, kilómetros a metros, pies a pulgadas, de yarda a pies, de milla a yarda
- Masa / Peso: kilogramo a gramos, libra a onzas
- Volumen: litro a mililitros
- Tiempo: minuto a segundos, hora a minutos

Actividad

Conversión de medidas es una habilidad práctica en nuestra vida cotidiana. Por ejemplo, una receta a menudo proporciona las medidas para hacer suficiente comida para 4–6 personas, pero si usted quiere alimentar a un grupo mayor o menor, es necesario convertir las mediciones en la receta. Esto requiere convertir libra a onzas para preparar la receta para un grupo mas pequeño, o convertir onzas a libra para un grupo mas grande. Por esto es importante saber convertir meolidas.

- Obligue a su hijo que hagan una lista de todos los artículos de la despensa y noten la unidad de medida de cada uno mencionada en la etiqueta. luego ayúdenlos que la conviertan a la unidad más cercana por ejemplo, de kilo a gramos, de libra a onzas, y de litro a mililitros.

  También puedan destacar a su hijo para que ganen un entendimiento de las cantidades de medida de referencia – cuanto debe ser un peso de 100 g, 500 g, 1 kilo, y 5 kilos.

- Proporcionar a su hijo con el mapa de su pueblo, ciudad o condado. Guía las distancias indicadas de un punto a otro en el mapa, tales como, desde el centro de la ciudad al parque o de la escuela de su hijo a casa de su hijo. Luego haga que su hijo convierta cada medición a la unidad más cercana de medición.

Vocabulario para practicar

Unidades corrientes de longitud
Metro (m), centímetro (cm), kilómetro (km), pie (ft), pulgada (pulg.), yarda (yd), milla (mi)
1 m = 100 cm
1 km = 1,000 m
1 ft = 12 in.
1 yd = 3 ft
1 mi = 1,760 yd

Unidades corrientes de peso
Kilogramo (kg), gramo (g), libra (lb), onza (oz), tonelada
1 kg = 1,000 g
1 lb = 16 oz
1 tonelada = 2,000 lb

Unidades corrientes de volumen
Litro (L), mililitro (mL)
1 L = 1,000 mL

Unidades corrientes de tiempo
Hora (h), minuto (min), segundos (s)
1 min = 60 s
1 h = 60 min

Math in Focus

SCHOOL to HOME Connections

Chapter 13 Area and Perimeter

Dear Family,

In this chapter, your child will learn to find the area and perimeter of squares, rectangles, and composite figures.
Some of the skills your child will practice are:

- estimating areas of figures by counting squares
- using formulas to find the area and perimeter of figures

Activity

Finding the area and perimeter of figures has many applications in everyday life. For example, shopping for a new rug, buying a tablecloth, or building a fence around a garden require that you know the dimensions of the material needed. Tell your child to imagine that you plan to buy a new rug for his or her room to cover the entire floor. (Choose a rectangular room.)

- Ask your child to explain how to find the area of the rug required for the room. (Answer: Find the area of the room.)
- Now, have your child measure the dimensions of the room to the nearest foot and then calculate the area in square feet of the rug required.
- Tell your child you want to put some wallpaper border around the room. Have him or her find the length of wallpaper border required. (Hint: Your child should find the perimeter of the room.)

Vocabulary to Practice

Length and **width** of a rectangle:

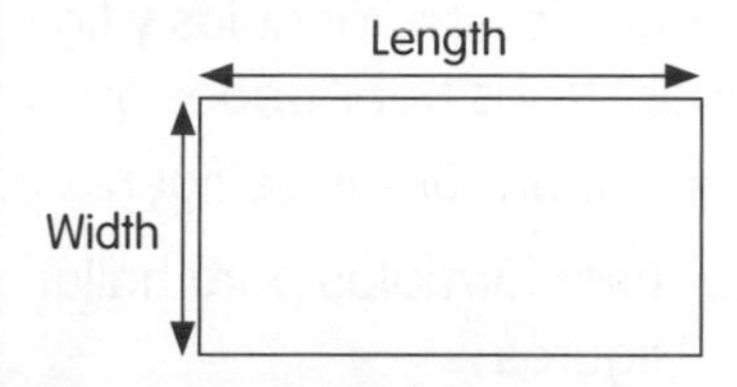

Area of rectangle
= Length × Width
Perimeter of rectangle
= Length + Width + Length + Width

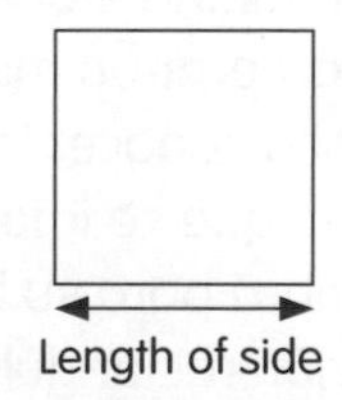

Area of square
= Length of side × Length of side
Perimeter of square
= 4 × Length of side

A **composite figure** is made up of different shapes.

Math in Focus

Conexiones entre ESCUELA Y CASA

Capítulo 13 Área y perímetro

Estimada familia:

En este capítulo, su hijo aprenderá a hallar el área y el perímetro de cuadrados, rectángulos y figuras compuestas.
Algunas de las habilidades que practicará su hijo son:

- estimar áreas de figuras al contar cuadrados
- usar fórmulas para hallar el área y el perímetro de las figuras

Actividad

Hallar el área y el perímetro de figuras tiene muchas aplicaciones en la vida cotidiana. Por ejemplo, para comprar una nueva alfombra, comprar un mantel o construir una cerca alrededor del jardín necesita conocer las dimensiones del material necesario. Pida a su hijo que se imagine que usted planea comprar una nueva alfombra para su habitación, que cubra todo el piso. (Elija una habitación rectangular.)

- Pida a su hijo que explique cómo hallar el área de la alfombra requerida para la habitación. (Respuesta: Halle el área de la habitación.)
- Ahora, pida a su hijo que mida las dimensiones de la habitación al pie más cercano y luego calcule el área en pies cuadrados de la alfombra que se requiere.
- Diga a su hijo que desea poner un borde de papel tapiz alrededor de la habitación. Pídale que halle la longitud requerida del borde de papel tapiz. (Pista: Su hijo debe hallar el perímetro de la habitación.)

Vocabulario para practicar

Longitud y **ancho** de un rectángulo:

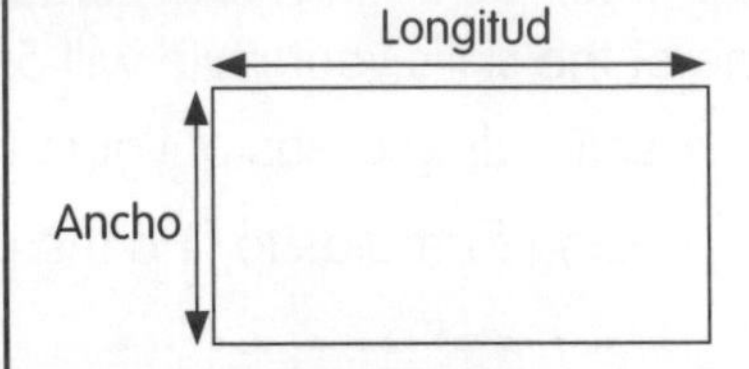

Área del rectángulo
= Longitud × Ancho

Perímetro del rectángulo
= Longitud + Ancho + Longitud + Ancho

Área del cuadrado
= Longitud del lado × Longitud del lado

Perímetro del cuadrado
= 4 × Longitud del lado

Una figura **compuesta** está formada por diferentes formas.

Math in Focus

SCHOOL to HOME Connections

Chapter 14 Symmetry

Dear Family,

In this chapter, your child will learn about symmetric figures. Some of the skills your child will practice are:

- identifying the line of symmetry of a figure
- relating rotational symmetry to turns
- identifying rotational symmetry
- completing or making symmetric shapes and patterns

Activity

The concept of symmetry is very important in math and will be used at higher levels for geometry and algebra. To help your child become familiar with the concept of line and rotational symmetry, invite your child to look at the letters of the alphabet.

- Ask him or her to identify which letters are symmetric, and say whether the letters show line symmetry or rotational symmetry. Have your child identify the line of symmetry or center of rotation. For example, answers could be:

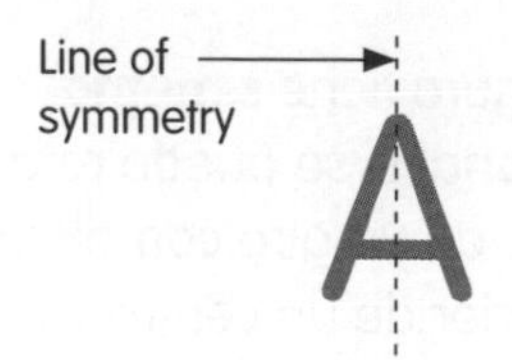

The letter 'A' shows line symmetry.

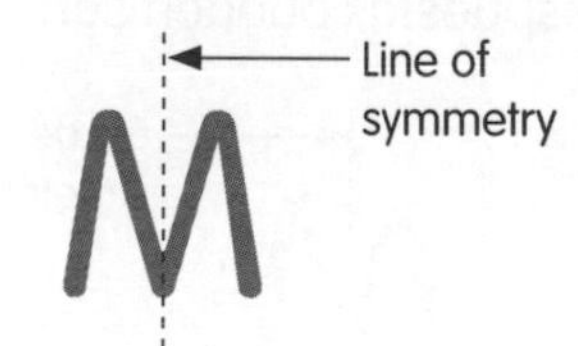

The letter 'M' shows line symmetry.

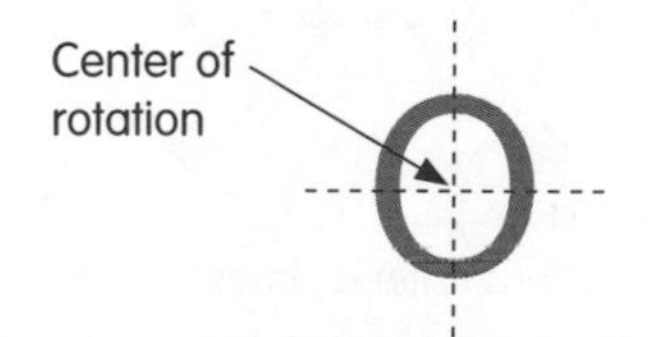

The letter 'O' shows line and rotational symmetry.

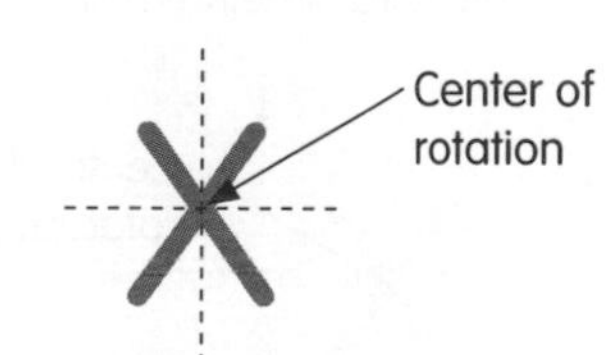

The letter 'X' shows line and rotational symmetry.

Vocabulary to Practice

A **line of symmetry** is a line that divides a figure into two congruent parts. The parts match exactly when folded along this line.

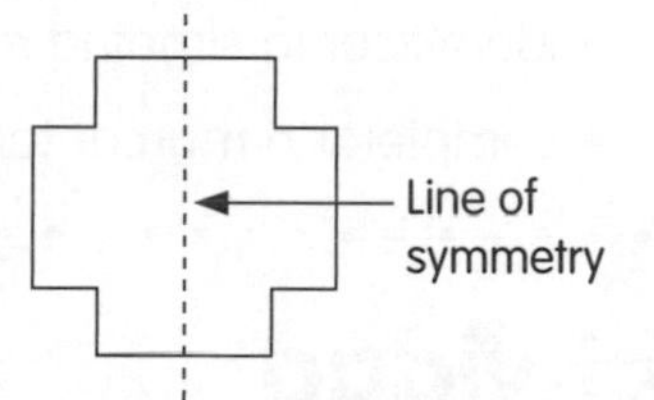

A **symmetric figure** is one with two congruent parts that match across the line of symmetry. A figure can have more than one line of symmetry.

A **rotation** turns a figure about a point. This point is called the **center of rotation**.

A figure has **rotational symmetry** if it can be rotated less than a full turn (360°) around a center and looks the same as it did before the turn.

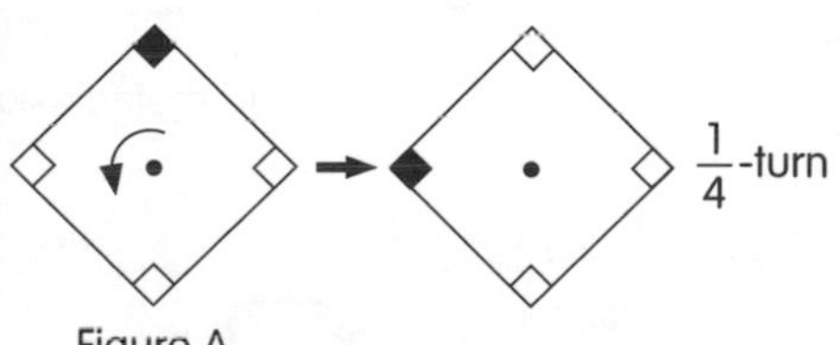

Figure A has rotational symmetry.

Math in Focus

Conexiones entre ESCUELA Y CASA

Capítulo 14 Simetría

Estimada familia:

En este capítulo, su hijo aprenderá sobre las figuras simétricas.
El trabajo en este capítulo incluirá:

- identificar el eje de simetría de una figura
- relacionar la simetría rotacional con los giros
- identificar la simetría rotacional
- completar o marcar formas y patrones simétricos

Actividad

El concepto de simetría es muy importante en matemáticas y se utilizará en niveles superiores para geometría y álgebra. Para ayudar a su hijo a familiarizarse con el concepto de simetría axial y simetría rotacional, invítelo a prestar atención a las letras del alfabeto.

- Pídale que identifique qué letras son simétricas, y que diga si las letras muestran simetría axial o simetría rotacional. Pida a su hijo que identifique el eje de simetría o el centro de rotación. Por ejemplo, las respuestas pueden ser:

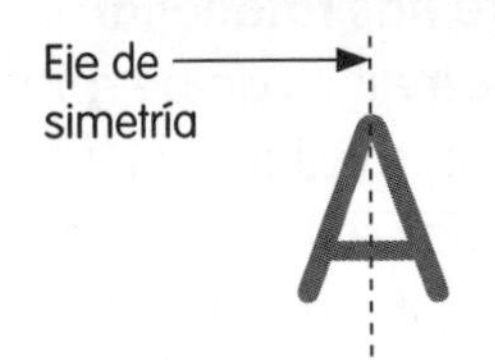

La letra 'A' muestra simetría axial.

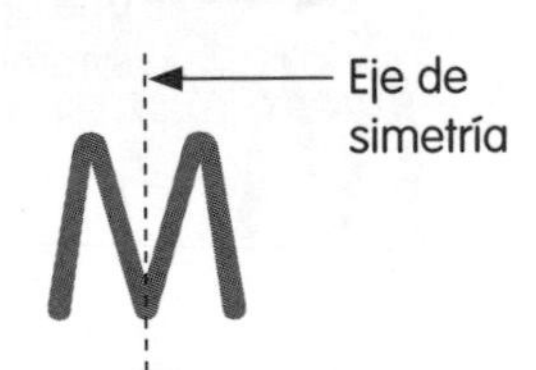

La letra 'M' muestra simetría axial.

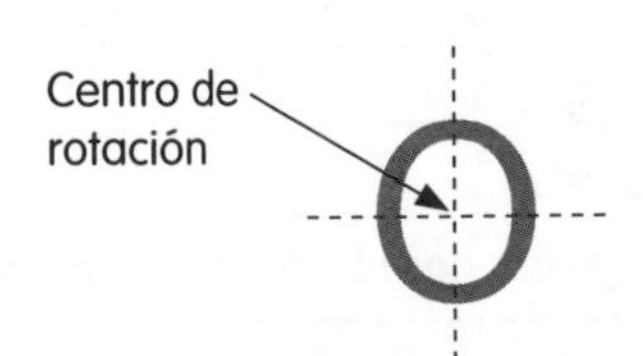

La letra 'O' muestra simetría axial y rotacional.

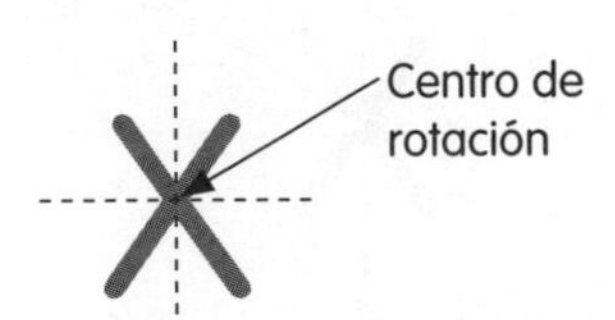

La letra 'X' muestra simetría axial y rotacional.

Vocabulario para practicar

Un **eje de simetría** es una línea que divide una figura en dos partes congruentes. Las partes coinciden exactamente cuando se doblan a lo largo de este eje.

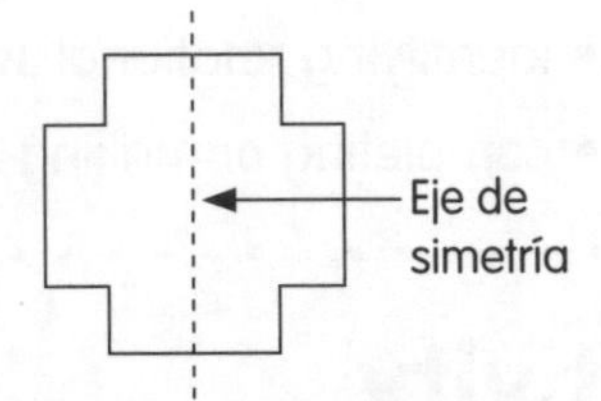

Una **figura simétrica** tiene dos partes congruentes que se emparejan en el eje de simetría. Una figura puede tener más de un eje de simetría.

Una **rotación** gira una figura en un punto. Este punto se llama el **centro de rotación**.

Una figura tiene **simetría rotacional** si se puede rotar menos de un giro completo (360°) alrededor de un centro y se ve igual como se veía antes del giro.

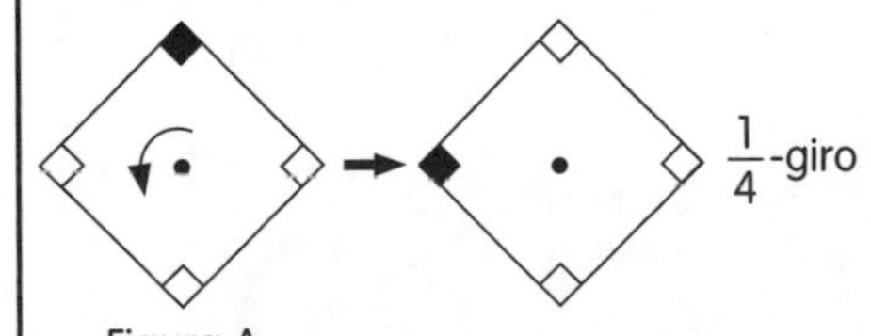

Figura A
La Figura A tiene simetría rotacional.

Math in Focus

SCHOOL to HOME Connections

Chapter 15 Tessellations

Dear Family,

In this chapter, your child will learn about tessellations. Work in this chapter will include:

- identifying the repeated shape in a tessellation
- tessellating shapes in different ways
- modifying shapes to make tessellations

Vocabulary to Practice

A **tessellation** can be made by using any number of a repeated shape or shapes fitted together to cover a surface without any gap or overlap.

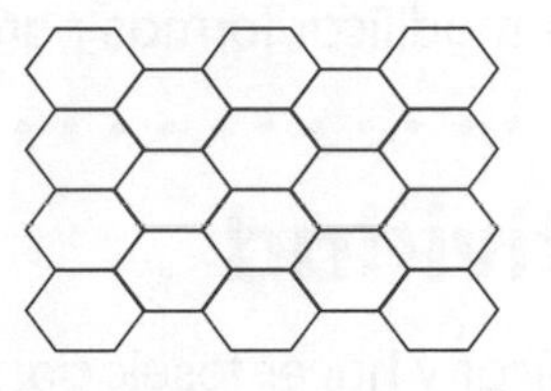

The **repeated shape** in this tessellation is ⬡.

You can **flip**, **slide**, and **rotate** shapes and repeat them to make tessellations.

Activity

Identifying and making tessellations by repeating shapes helps students deepen their understanding of patterns and two-dimensional space. Encourage your child to look for tessellations in your surroundings; for example, brick patterns, floor tiling, or gift-wrap designs.

- Ask your child to identify the repeated shape in each of these tessellations. Keep in mind that some tessellations may involve more than one repeated shape.
- Now, have your child copy the repeated shape on a dot paper and try to tessellate the repeated shape in another way.
- Ask your child to use slide, flip, or rotate to explain how he or she tessellated the shape. Example: Repeated shape:

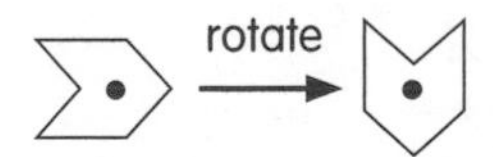

Tessellation Sample:

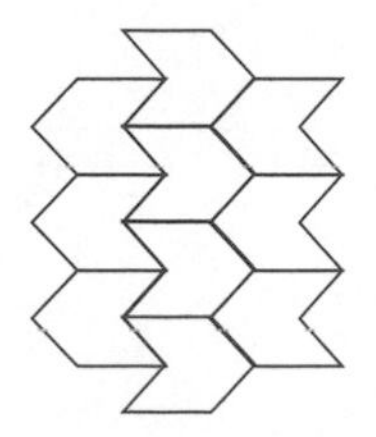

Math in Focus

Conexiones entre ESCUELA Y CASA

Capítulo 15 Teselaciones

Estimada familia:

En este capítulo, su hijo aprenderá sobre las teselaciones.
El trabajo en este capítulo incluirá:

- identificar la forma repetida en una teselación
- teselar formas de diferentes maneras
- modificar formas para hacer teselaciones

Vocabulario para practicar

Una **teselación** se puede efectuar usando cualquier cantidad de una o varias formas repetidas, colocadas una junto otra, para cubrir una superficie sin espacios o traslapo.

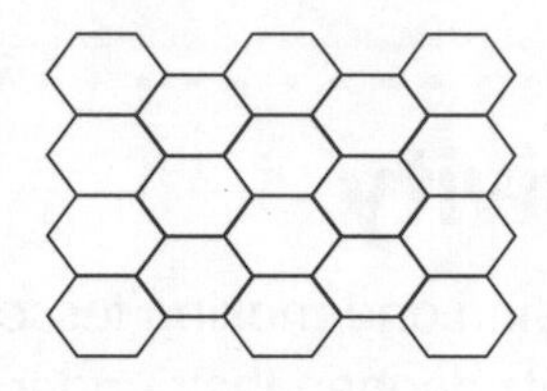

La **forma repetida** en esta teselación es ⬡.

Puede **voltear**, **deslizar** y **rotar** formas y repetirlas para formar teselaciones.

Actividad

Identificar y hacer teselaciones mediante la repetición de forma ayuda a los estudiantes a profundizar su entendimiento de los patrones y el espacio bidimensional. Anime a su hijo a buscar teselaciones en su entorno; por ejemplo, patrones de ladrillos, azulejos o diseños de papel de regalo.

- Pida a su hijo que identifique la forma repetida en cada una de estas teselaciones. Recuerde que algunas teselaciones pueden incluir más de una forma repetida.
- Ahora, pida a su hijo que copie la forma repetida en un papel punteado e intente teselar la forma repetida de otra manera.
- Pida a su hijo que deslice, voltée o rote para explicar de qué modo teseló la forma. Ejemplo: Forma repetida:

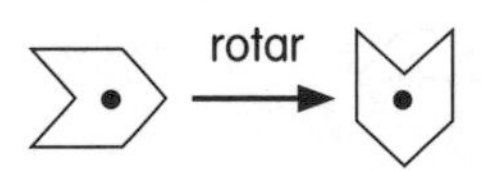

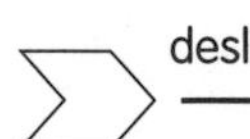

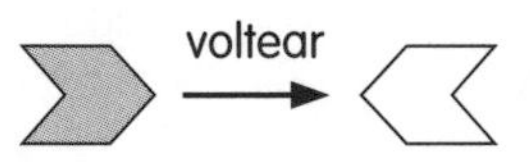

Ejemplo de teselación:

Math in Focus

SCHOOL to HOME Connections

Dear Family,

This has been a full year for your child in math. One aspect of learning math is that concepts and skills become solidified over time. Concepts or skills that were new earlier in the year will now seem `easy´. A great way to reinforce your child's appreciation for math is to review the year and his or her growth.

For example, ask your fourth grader to recall and explain:

- *How can you decide which number is greater?*

  10,432 or 10,412? 2.47 or 2.78?

- *How can you estimate the following?*

  1,712 – 1,214 326 × 45

  275 + 1,040 7,893 ÷ 8

Ask your child, *Was this always easy for you? What do you know now that makes it easier than before?* Allow your child to be pleased with how much math he or she learned this year!

Finally, take a few minutes now and then over the summer to keep math skills sharp with family math activities. Many ideas have been suggested in these chapter newsletters. Another good source of activities is the U.S. Department of Education publication, *Helping Your Child Learn Math,* available in print or online at www.ed.gov/pubs/parents/Math/

Thank you for supporting your child's efforts in math this year!

Math in Focus

Conexiones entre ESCUELA Y CASA

Estimada familia:

Este ha sido un año completo para su hijo en matemáticas. Un aspecto del aprendizaje de matemáticas es que los conceptos y las habilidades se consolidan con el tiempo. Los conceptos o las destrezas que a principio de año eran nuevas ahora parecerán `fáciles´. Una excelente forma de reforzar el aprecio de su hijo por las matemáticas es revisar el año y su crecimiento.

Por ejemplo, pregunte a su hijo de cuarto grado que recuerde y explique:

- *¿Cómo puedes decidir qué número es mayor?*

  ¿10,432 ó 10,412? ¿2.47 ó 2.78?

- *¿Cómo puedes estimar lo siguiente?*

  $1,712 - 1,214$ 326×45

  $275 + 1,040$ $7,893 \div 8$

Pregunte a su hijo, *¿Fue esto siempre fácil para ti? ¿Qué sabes ahora que lo hace más fácil que antes?* ¡Deje que su hijo se alegre de cuántas matemáticas ha aprendido este año!

Por último, dedique algunos minutos ahora y luego en el verano para mantener las habilidades matemáticas activas con actividades matemáticas familiares. Se han sugerido muchas ideas en estos boletines informativos sobre los capítulos. Otra buena fuente de actividades es la publicación del Departamento de Educación de EE.UU., Helping Your Child Learn Math *(Cómo ayudar a su hijo con las matemáticas)*, disponible en formato impreso o en línea en www.ed.gov/espanol/parents/academic/matematicas/part.html

¡Muchas gracias por apoyar los esfuerzos de su hijo en matemáticas este año!